中华人民共和国水利部

水土保持工程概(估)算编制规定

黄河水利出版社

图书在版编目(CIP)数据

水土保持工程概(估)算编制规定/水利部水利水电规划设计总院主编.—郑州:黄河水利出版社,2003.6
中华人民共和国水利部批准发布
ISBN 7-80621-681-2

Ⅰ.水… Ⅱ.水… Ⅲ.水土保持-水利工程-概算编制-中国 Ⅳ.S157.2

中国版本图书馆 CIP 数据核字(2003)第 028928 号

出 版 社:黄河水利出版社
地址:河南省郑州市金水路 11 号　　邮政编码:450003
发行单位:黄河水利出版社
发行部电话及传真:0371-6022620
E-mail:yrcp@public.zz.ha.cn
承印单位:河南承创印务有限公司
开本:850 mm×1 168 mm　1/32
印张:3.75
字数:93 千字　　印数:1—20 000
版次:2003 年 6 月第 1 版　　印次:2003 年 6 月第 1 次印刷

书号:ISBN 7-80621-681-2/S·50　　定价:25.00 元

水 利 部 文 件

水总〔2003〕67 号

关于颁发《水土保持工程概(估)算编制规定和定额》的通知

各有关单位:

根据《中华人民共和国水土保持法》和建设部《关于调整建筑安装工程费用项目组成的若干规定》,结合近年来开发建设项目水土保持工程和水土保持生态建设工程实施情况,为适应建立社会主义市场经济体制的需要,满足新的财务制度要求,合理预测开发建设项目水土保持工程及水土保持生态建设工程造价,水利部委托有关单位编制了《水土保持工程概算定额》、《开发建设项目水土保持工程概(估)算编制规定》及《水土保持生态建设工程概(估)算编制规定》。经审查并商国家计委同意,现予以发布。

此次颁布的定额及规定为推荐性标准,自颁布之日起执行。执行过程中如有问题请及时函告水利部水利水电规划设计总院,由其负责解释。

附件:水土保持工程概(估)算编制规定和定额

中华人民共和国水利部

二〇〇年一月二十五日

主题词:水土保持　概算　规定　通知

水利部办公厅　　　　2003 年 2 月 26 日印发

开发建设项目水土保持工程
概(估)算编制规定

主编单位　水利部水利水电规划设计总院
技术顾问　刘　震　焦居仁　胡玉强
主　　编　陈　伟　朱党生　曾大林
副 主 编　董　强　罗纯通　佟伟力　蔡建勤
编　　写　董　强　陈　伟　朱党生　罗纯通
　　　　　王立选　李明强

水土保持生态建设工程
概(估)算编制规定

主编单位　水利部水利水电规划设计总院
技术顾问　刘　震　胡玉强
主　　编　朱党生　董　强　宁堆虎
副 主 编　罗纯通　佟伟力　蒲朝勇
编　　写　董　强　罗纯通　朱党生　陈　伟
　　　　　王立选　李明强

目　录

开发建设项目水土保持工程概(估)算编制规定

总　则……………………………………………………………… 3
第一部分　设计概算的编制………………………………………… 4
第一章　概　述………………………………………………………… 4
　第一节　编制说明…………………………………………………… 4
　第二节　概算文件编制依据………………………………………… 4
　第三节　概算文件组成内容………………………………………… 5
第二章　项目划分……………………………………………………… 7
　第一节　简　述……………………………………………………… 7
　第二节　组成内容…………………………………………………… 7
第三章　费用构成 …………………………………………………… 18
　第一节　概　述……………………………………………………… 18
　第二节　工程措施及植物措施费 ………………………………… 19
　第三节　独立费用 ………………………………………………… 24
　第四节　预备费及建设期融资利息 ……………………………… 25
第四章　编制方法及计算标准 ……………………………………… 27
　第一节　基础单价编制 …………………………………………… 27
　第二节　工程措施、植物措施单价编制………………………… 33
　第三节　水土保持工程概算编制 ………………………………… 37
　第四节　预备费及建设期融资利息 ……………………………… 39
第五章　概算表格 …………………………………………………… 40
第二部分　投资估算的编制 ……………………………………… 47

水土保持生态建设工程概(估)算编制规定

总　则 ………………………………………………… 51
第一部分　设计概算的编制 ……………………………… 52
第一章　概　述 ………………………………………… 52
　一、编制说明………………………………………… 52
　二、概算文件编制依据……………………………… 52
　三、概算文件组成内容……………………………… 52
第二章　项目划分 ……………………………………… 54
　一、工程措施………………………………………… 54
　二、林草措施………………………………………… 55
　三、封育治理措施…………………………………… 55
　四、独立费用………………………………………… 55
第三章　编制方法及计算标准 ………………………… 66
　一、基础单价………………………………………… 66
　二、取费标准………………………………………… 67
　三、单价的编制……………………………………… 69
　四、分部工程概算的编制…………………………… 70
　五、工程总投资……………………………………… 72
　六、预备费…………………………………………… 72
　七、概(估)算表格 ………………………………… 73
　八、概算附件………………………………………… 80
第二部分　投资估算的编制 ……………………………… 82

附　录

附录1　关于发布《工程建设监理费有关规定的通知》…… 85

附录 2　国家计委、财政部关于第一批降低 22 项收费标准的通知 ………………………………………………………… 87
附录 3　国家计委收费管理司、财政部综合与改革司关于水利建设工程质量监督收费标准及有关问题的复函 … 91
附录 4　财政部、国家计委关于发布 2001 年全国性及中央部门和单位行政事业性收费项目目录的通知 ………… 93
附录 5　水利部关于加强大中型开发建设项目水土保持监理工作的通知 ………………………………………………… 96
附录 6　开发建设项目水土保持设施验收管理办法 ……… 98
附录 7　水利部关于印发《水土保持生态建设工程监理管理暂行办法》的通知 ……………………………………… 102

开发建设项目水土保持工程
概(估)算编制规定

总　则

1.为贯彻《中华人民共和国水土保持法》、《中华人民共和国水土保持法实施条例》,加强开发建设项目水土保持工程投资管理,统一概(估)算编制办法,提高概(估)算编制质量,合理确定工程投资,结合开发建设项目水土保持工程自身的特点,制定本规定。它是编制和审批开发建设项目水土保持工程概(估)算的依据。

2.本规定适用于中央投资、中央补助、地方投资或其他投资的矿业开采、工矿企业建设、交通运输、水工程建设、电力建设、荒地开垦、林木采伐及城镇建设等一切可能引起水土流失的开发建设项目水土保持工程。

3.本规定应与《水土保持工程概算定额》配套使用。

4.工程概(估)算应按编制年国家政策及价格水平进行编制,开工前如设计方案有重大变更、国家政策及物价有较大变化时,应根据开工年的国家政策及价格水平重新编制,并报原审批单位审批。

5.本规定由水利部水利水电规划设计总院负责管理和解释。

第一部分　设计概算的编制

第一章　概　述

第一节　编制说明

1.本规定所称的“水土保持工程”为《开发建设项目水土保持方案技术规范》中所指的“拦渣工程、护坡工程、土地整治工程、防洪工程、机械固沙工程、泥石流防治工程、植物措施工程”等。

2.工程项目可划分为工程措施、植物措施、施工临时工程、独立费用共四部分。

3.工程各部分下设一级、二级、三级项目。

第二节　概算文件编制依据

1.国家和上级主管部门以及省、自治区、直辖市颁发的有关法令、制度、规定。

2.开发建设项目水土保持工程概算编制规定。

3.水土保持工程概算定额和有关部门颁发的定额。

4.开发建设项目水土保持工程设计文件及图纸。

5.有关合同、协议及资金筹措方案。

6.其他有关资料。

第三节　概算文件组成内容

一、概算编制说明

1.水土保持工程概况

水土保持工程建设地点、工程布置形式、工程措施工程量、植物措施工程量、主要材料用量、施工总工期、施工总工时、施工平均人数等。

2.水土保持工程投资主要指标

开发建设项目水土保持工程投资指标主要包括工程总投资、静态总投资、年度价格指数、预备费及其占总投资百分比等。

3.编制原则和依据

(1)概算编制原则和依据。

(2)人工预算单价,主要材料,施工用电、水、风、砂石料、苗木、草、种子等预算价格的计算依据。

(3)主要设备价格的编制依据。

(4)水土保持工程概算定额、施工机械台时费定额和其他有关指标采用的依据。

(5)水土保持工程费用计算标准及依据。

4.水土保持工程概算编制中存在的其他应说明的问题

二、概算表

1.概算表

(1)总概算表;

(2)工程措施概算表;

(3)植物措施概算表;

(4)施工临时工程概算表;

(5)独立费用概算表；
(6)分年度投资表。

2.概算附表

(1)工程单价汇总表；
(2)主要材料预算价格汇总表；
(3)次要材料预算价格汇总表；
(4)施工机械台时费汇总表；
(5)主体工程主要工程量汇总表；
(6)主体工程主要材料用量汇总表；
(7)工时数量汇总表。

三、水土保持概算附件(单独成册,随概算报审)

(1)人工预算单价计算表；
(2)主要材料运杂费计算表；
(3)主要材料预算价格计算表；
(4)施工用电价格计算书；
(5)施工用水价格计算书；
(6)补充施工机械台时费计算书；
(7)砂石料单价计算书；
(8)混凝土材料单价计算表；
(9)工程措施单价计算表；
(10)植物措施单价计算表；
(11)独立费用计算书；
(12)分年度投资计算表。

第二章　项目划分

第一节　简　述

开发建设项目水土保持工程涉及面广，类型各异，内容复杂，为适应水土保持工程管理工作的需要，满足水土保持工程设计和建设过程中各项工作要求，必须有一个可供各方面共同遵循的统一的项目划分格式。

开发建设项目水土保持工程项目划分为工程措施、植物措施、施工临时工程和独立费用共四部分，各部分下设一、二、三级项目(详见项目划分表)。

第二节　组成内容

第一部分　工程措施

指为减轻或避免因开发建设造成植被破坏和水土流失而兴建的永久性水土保持工程。包括拦渣工程、护坡工程、土地整治工程、防洪工程、机械固沙工程、泥石流防治工程、设备及安装工程等。

第二部分　植物措施

指为防治水土流失而采取的植物防护工程、植物恢复工程及绿化美化工程等。

第三部分　施工临时工程

包括临时防护工程和其他临时工程。

1.临时防护工程

指为防止施工期水土流失而采取的各项临时防护措施。

2.其他临时工程

指施工期的临时仓库、生活用房、架设输电线路、施工道路等。

第四部分　独立费用

由建设管理费、工程建设监理费、科研勘测设计费、水土流失监测费、工程质量监督费等五项组成。

第一部分　工程措施

序号	一级项目	二级项目	三级项目	技术经济指标
一	拦渣工程			
1		拦渣坝		
			土方开挖	元/m^3
			石方开挖	元/m^3
			土石方回填	元/m^3
			砌石	元/m^3
			混凝土	元/m^3
			钢筋	元/t
			固结灌浆孔	元/m
			帷幕灌浆孔	元/m

续表

序号	一级项目	二级项目	三级项目	技术经济指标
			固结灌浆	元/m
			帷幕灌浆	元/m
			排水孔	元/m
2		挡渣墙		
			土方开挖	元/m^3
			石方开挖	元/m^3
			土石方回填	元/m^3
			砌石	元/m^3
			混凝土	元/m^3
			钢筋	元/t
3		拦渣堤		
			土方开挖	元/m^3
			石方开挖	元/m^3
			土石方回填	元/m^3
			砌石	元/m^3
			混凝土	元/m^3
			钢筋	元/t
二	护坡工程			
1		削坡开级		
			土方开挖	元/m^3

续表

序号	一级项目	二级项目	三级项目	技术经济指标
			石方开挖	元/m^3
2		工程护坡		
			土方开挖	元/m^3
			石方开挖	元/m^3
			土石方回填	元/m^3
			砌石	元/m^3
			灰浆抹面	元/m^2
			混凝土	元/m^3
			钢筋	元/t
			喷混凝土	元/m^3
			锚杆	元/根
3		滑坡整治工程		
			抗滑桩	元/m^3
			喷混凝土	元/m^3
			锚杆	元/根
三	防洪工程			
1		拦洪坝		
			土方开挖	元/m^3
			石方开挖	元/m^3
			混凝土	元/m^3
			砌石	元/m^3
			土料填筑	元/m^3

续表

序号	一级项目	二级项目	三级项目	技术经济指标
			砂砾料填筑	元/m^3
			固结灌浆孔	元/m
			帷幕灌浆孔	元/m
			固结灌浆	元/m
			帷幕灌浆	元/m
			排水孔	元/m
2		排洪渠		
			土方开挖	元/m^3
			石方开挖	元/m^3
3		排洪涵洞		
			土方开挖	元/m^3
			石方开挖	元/m^3
			砌石	元/m^3
			混凝土	元/m^3
			钢筋	元/t
4		防洪堤		
			土方开挖	元/m^3
			石方开挖	元/m^3
			土石方回填	元/m^3
			砌石	元/m^3
			混凝土	元/m^3
			钢筋	元/t

续表

序号	一级项目	二级项目	三级项目	技术经济指标
四	泥石流防治工程			
1		格栅坝(拦沙坝)		
			土方开挖	元/m^3
			石方开挖	元/m^3
			土石方回填	元/m^3
			砌石	元/m^3
			混凝土	元/m^3
			钢筋	元/t
			钢材	元/t
2		桩林		
			钢管桩	元/t
			型钢桩	元/t
			钢筋混凝土桩	元/m^3
五	土地整治工程			
1		坑凹回填		
			土方开挖	元/m^3
			石方开挖	元/m^3
			土石方回填	元/m^3
2		渣场改造		
			土方开挖	元/m^3
			石方开挖	元/m^3
			土石方回填	元/m^3
3		复垦工程	土方回填	元/m^3

续表

序号	一级项目	二级项目	三级项目	技术经济指标
			石渣回填	元/m^3
六	机械固沙工程			
1		压盖		
			粘土压盖	元/m^2
			泥墁压盖	元/m^2
			卵石压盖	元/m^2
			砾石压盖	元/m^2
2		沙障		
			防沙土墙	元/m^3
			粘土埂	元/m
			高立式柴草沙障	元/m
			低立式柴草沙障	元/m
			立杆串草把沙障	元/m
			立埋草把沙障	元/m
			立杆编织条沙障	元/m
			防沙栅栏	元/m
七	设备及安装工程			
1		排灌设备		
			设备费	元/台
			安装费	元
2		监测设备		
			设备费	元/台
			安装费	元

第二部分　植物措施

序号	一级项目	二级项目	三级项目	技术经济指标
一	植物防护工程			
1		种草(籽)		
			整地	元/m^2
			草籽	元/kg
			种植	元/m^2
2		植草		
			整地	元/m^2
			草(皮)	元/m^2
			栽植	元/m^2
3		种树(籽)		
			整地	元/m^2
			树籽	元/kg
			种植	元/m^2
4		植树		
			整地	元/m^2
			换土	元/m^3
			支撑	元/株
			绑扎草绳	元/m

续表

序号	一级项目	二级项目	三级项目	技术经济指标
			铁丝网	元/m
			苗木	元/株
			假植	元/株
			栽植	元/株
二	植物恢复工程			
1		种草(籽)		
			整地	元/m^2
			草籽	元/kg
			种植	元/m^2
2		植草		
			整地	元/m^2
			草(皮)	元/m^2
			栽植	元/m^2
3		种树(籽)		
			整地	元/m^2
			树籽	元/kg
			种植	元/m^2
4		植树		
			整地	元/m^2
			换土	元/m^3

续表

序号	一级项目	二级项目	三级项目	技术经济指标
			支撑	元/株
			绑扎草绳	元/m
			铁丝网	元/m
			苗木	元/株
			假植	元/株
			栽植	元/株
三	绿化美化工程			
1		植草		
			整地	元/m^2
			草(皮)	元/m^2
			栽植	元/m^2
2		植树		
			整地	元/m^2
			换土	元/m^3
			支撑	元/株
			绑扎草绳	元/m
			铁丝网	元/m
			苗木	元/株
			假植	元/株
			栽植	元/株

第三部分　施工临时工程

序号	一级项目	二级项目	三级项目	技术经济指标
一	临时防护工程			
二	其他临时工程			

第四部分　独立费用

序号	一级项目	二级项目	三级项目	技术经济指标
一	建设管理费			
二	工程建设监理费			
三	科研勘测设计费			
1		科研试验费		
2		勘测费		
3		设计费		
四	水土流失监测费			
五	工程质量监督费			

第三章　费用构成

第一节　概　述

开发建设项目水土保持工程建设费用组成内容如下：

费用构成
- 工程费
  - 工程措施费(含设备费)
  - 植物措施费
- 独立费用
- 预备费(基本预备费、价差预备费)

一、工程措施及植物措施费

工程措施及植物措施费由直接工程费、间接费、企业利润和税金组成。

1.直接工程费

(1)直接费；

(2)其他直接费；

(3)现场经费。

2.间接费

(1)企业管理费；

(2)财务费用；

(3)其他费用。

3.企业利润

4.税金

(1)营业税;

(2)城市维护建设税;

(3)教育费附加。

二、独立费用

由建设管理费、工程建设监理费、科研勘测设计费、水土流失监测费及工程质量监督费五项组成。

三、预备费

1.基本预备费

2.价差预备费

第二节 工程措施及植物措施费

工程措施及植物措施费由直接工程费、间接费、企业利润和税金组成。

一、直接工程费

指工程施工过程中直接消耗在工程项目上的活劳动和物化劳动,由直接费、其他直接费、现场经费组成。

(一)直接费

1.人工费

指直接从事工程施工的生产工人开支的各项费用,包括:

(1)基本工资。由岗位工资和年功工资以及年应工作天数内非作业天数的工资构成。

①岗位工资。指按照职工所在岗位各项劳动要素测评结果确

定的工资。

②年功工资。指按照职工工作年限确定的工资,随工作年限增加而逐年累加。

③生产工人年应工作天数以内非作业天数的工资,包括职工学习、培训期间的工资,调动工作、探亲、休假期间的工资,因气候影响的停工工资,女工哺乳期间的工资,病假在6个月以内的工资及产、婚、丧假期的工资。

(2)辅助工资。指在基本工资之外,支付给职工的工资性收入,包括根据国家有关规定属于工资性质的各种津贴,主要包括地区津贴、施工津贴、夜餐津贴、节日加班津贴等。

(3)工资附加费。指按照国家规定计算的职工福利基金、工会经费、养老保险费、医疗保险费、工伤保险费、职工失业保险基金和住房公积金等。

2.材料费

指用于工程项目上的消耗性材料、周转性材料摊销费。

材料费包括材料原价、包装费、运杂费、运输保险费、材料采购及保管费五项。

(1)材料原价。指材料指定交货地点的价格。

(2)包装费。指材料在运输和保管过程中的包装费和包装材料的折旧摊销费。

(3)运杂费。指材料从供货地至工地分仓库或材料堆放场所发生的全部费用。包括运输费、装卸费、调车费及其他杂费。

(4)运输保险费。指材料在运输途中的保险而发生的费用。

(5)材料采购及保管费。指材料在采购、供应和保管过程中发生的各项费用。主要包括材料的采购、供应和保管部门工作人员的基本工资、辅助工资、工资附加费、教育经费、办公费、差旅交通费及工具用具使用费;仓库、转运站等设施的检修费、固定资产折旧费、技术安全措施费和材料检验费;材料在运输、保管过程中发生的损耗等。

3.施工机械使用费

指消耗在工程项目上的机械折旧、维修和动力燃料费用等。包括基本折旧费、修理费、替换设备费、安装拆卸费、机上人工费和动力燃料费等。

(1)基本折旧费指施工机械在规定使用年限内回收原值的台时折旧摊销费用。

(2)修理费指施工机械使用过程中,为了使机械保持正常功能而进行修理所需的摊销费用和机械正常运转及日常保养所需的润滑油料、擦拭用品的费用,以及保管机械所需的费用。

(3)替换设备费指施工机械正常运转时所耗用的设备及随机使用的工具附具等摊销费用。

(4)安装拆卸费指施工机械进出工地的安装、拆卸、试运转和场内转移及辅助设施的摊销费用。

(5)机上人工费是指施工机械使用时所配备的人员的人工费用。

(6)动力燃料费指施工机械正常运转时所耗用的水、电、油、煤和木柴等的费用。

(二)其他直接费

包括冬雨季施工增加费、夜间施工增加费、特殊地区施工增加费和其他。

1.冬雨季施工增加费

指在冬雨季施工期间为保证工程质量和安全所需增加的费用。包括增加施工工序,增加防雨、保温、排水等设施,增耗的动力、燃料、材料,以及人工、机械效率降低而增加的费用。

2.夜间施工增加费

指施工场地和公用施工道路的照明费用。

3.特殊地区施工增加费

指在高海拔和原始森林等特殊地区施工而增加的费用。

4.其他

包括施工工具用具使用费,检验试验费,工程定位复测、工程点交、竣工场地清理、工程项目及设备仪表移交生产前的维护观察费等。

(三)现场经费

现场经费包括临时设施费和现场管理费。

1.临时设施费

指施工企业为进行工程施工所必需的但又未被归入施工临时工程的临时设施的建设、维修、拆除、摊销等费用。

2.现场管理费

(1)现场管理人员的基本工资、辅助工资、工资附加费。

(2)办公费。指现场办公用的文具、纸张、账表、印刷、邮电、书报、会议、水、电、烧水和集体取暖用煤等费用。

(3)差旅交通费。指现场职工因公出差期间的差旅费、住勤补助费、市内交通费和误餐补助费,职工探亲路费,劳动力招募费,职工离退休、退职一次性路费,工伤人员就医路费,职工上下班交通费,工地转移费,以及现场管理使用的交通工具的油料、燃料、养路费及牌照费。

(4)固定资产使用费。指现场管理使用的属于固定资产的设备、仪器等的折旧、大修理、维修费或租赁费等。

(5)工具用具使用费。指现场管理使用的不属于固定资产的工具、器具、家具、交通工具和检验、试验、测绘、消防用具等的购置、维修和摊销费。

(6)保险费。指施工管理用财产、车辆保险费,危险作业等特殊工种安全保险费等。

(7)其他费用。包括幼林抚育等。

二、间接费

间接费是指施工企业为工程施工而进行组织与经营管理所发生的各项费用。它构成产品成本,但又不便直接计量。由企业管理费、财务费用和其他费用组成。

(一)企业管理费

指施工企业为组织施工生产经营活动所发生的费用。包括:

(1)管理人员的基本工资、辅助工资、工资附加费和劳动保护费。

(2)差旅交通费。指施工企业职工因公出差、工作调动的差旅费、住勤补助费、市内交通费及误餐补助费,职工探亲路费,劳动力招募费,离退休职工一次性路费及交通工具油料、燃料、牌照、养路费等。

(3)办公费。指企业办公用文具、纸张、账表、印刷、邮电、书报、会议、水电、燃煤(气)等费用。

(4)劳动保护费。指按国家有关部门规定标准发放的劳动保护用品的购置费、修理费、徒工服装补助费、保健费、防暑降温费、高空作业津贴、技术安全措施费以及洗澡用水、饮用水的燃料费等。

(5)固定资产折旧、修理费。指企业属于固定资产的房屋、设备、仪器等折旧及维修等费用。

(6)工具用具使用费。指企业管理使用不属于固定资产的工具、用具、家具、交通工具、检验、试验、消防等的摊销及维修费用。

(7)职工教育经费。指企业为职工学习先进技术和提高文化水平按职工工资总额计提的费用。

(8)保险费。指企业财产保险、管理用车辆等保险费用。

(9)税金。指企业按规定缴纳的房产税、车船使用税、印花税等。

(10)其他。包括技术转让费、设计收费标准中未包括的应由施工企业承担的部分施工辅助工程设计费、投标报价费、工程图纸资料费及工程摄影费、技术开发费、业务招待费、绿化费、公证费、法律顾问费、审计费、咨询费等。

(二)财务费用

指企业为筹集资金而发生的各项费用,包括企业经营期间发生的短期贷款利息净支出,企业筹集资金发生的其他财务费用,以及投标和承包工程发生的保函手续费等。

(三)其他费用

指企业定额测定费及施工企业进退场补贴费。

三、企业利润

指按规定应计入工程措施及植物措施费用中的利润。

四、税金

指国家对施工企业承担建筑、安装工程作业收入所征收的营业税、城市维护建设税和教育费附加。

第三节　独立费用

独立费用由建设管理费、工程建设监理费、科研勘测设计费、水土流失监测费及工程质量监督费五项组成。

一、建设管理费

指建设单位从工程项目筹建到竣工期间所发生的各种管理性费用。

二、工程建设监理费

指工程开工后,建设单位聘请监理工程师对水土保持工程的质量、进度和投资进行监理所需的各项费用。

三、科研勘测设计费

指为建设本工程所发生的科研、勘测设计等费用。包括工程科学研究试验费和勘测设计费。

1.工程科学研究试验费

指在工程建设过程中,为解决工程的技术问题而进行必要的科学研究试验所需的费用。

2.工程勘测设计费

指工程各设计阶段发生的勘测费、设计费和为设计服务的科研试验费用。

四、水土流失监测费

指主体工程施工期内为控制水土流失、监测水土流失防治效果所发生的各项费用。

五、工程质量监督费

指为保证工程质量,进行质量监督和检查所发生的各项费用。

第四节　预备费及建设期融资利息

一、预备费

预备费包括基本预备费和价差预备费。

1.基本预备费

主要为解决在工程施工过程中，经上级批准的设计变更和为预防意外事故而采取的措施所增加的工程项目和费用。

2.价差预备费

主要为解决在工程施工过程中，因人工工资、材料和设备价格上涨以及费用标准调整而增加的投资。

3.建设期融资利息

根据国家财政金融政策规定，工程在建设期内需偿还并应计入工程总投资的融资利息。

第四章　编制方法及计算标准

第一节　基础单价编制

一、人工预算单价

（一）工程措施人工单价计算方法

1.基本工资

基本工资(元/工日)=基本工资标准(元/月)×地区工资系数×12月÷年有效工作日

2.辅助工资

(1)地区津贴(元/工日)=津贴标准(元/月)×12月÷年有效工作日

(2)施工津贴(元/工日)=津贴标准(元/天)×365天×95%÷年有效工作日

(3)夜餐津贴(元/工日)=(中班津贴标准+夜班津贴标准)÷2×20%

(4)节日加班津贴(元/工日)=基本工资(元/工日)×3×10天÷年有效工作日×35%

3.工资附加费

(1)职工福利基金(元/工日)=[基本工资(元/工日)+辅助工资(元/工日)]×费率标准(%)

(2)工会经费(元/工日)=[基本工资(元/工日)+辅助工资(元/工日)]×费率标准(%)

(3)养老保险费(元/工日)=[基本工资(元/工日)+辅助工资

(元/工日)]×费率标准(%)

(4)医疗保险费(元/工日)=[基本工资(元/工日)+辅助工资(元/工日)]×费率标准(%)

(5)工伤保险费(元/工日)=[基本工资(元/工日)+辅助工资(元/工日)]×费率标准(%)

(6)职工失业保险基金(元/工日)=[基本工资(元/工日)+辅助工资(元/工日)]×费率标准(%)

(7)住房公积金(元/工日)=[基本工资(元/工日)+辅助工资(元/工日)]×费率标准(%)

4.人工工日预算单价

人工工日预算单价(元/工日)=基本工资+辅助工资+工资附加费

5.人工工时预算单价

人工工时预算单价(元/工时)=人工工日预算单价(元/工日)÷日工作时间(工时/工日)

注:人年有效工作日 241 天,日工作时间 8 小时。

(二)植物措施人工单价计算方法

1.基本工资

基本工资(元/工日)=基本工资标准(元/月)×地区工资系数×12 月÷年有效工作日

2.辅助工资

(1)地区津贴(元/工日)=津贴标准(元/月)×12 月÷年有效工作日

(2)施工津贴(元/工日)=津贴标准(元/天)×365 天×95%÷年有效工作日

(3)夜餐津贴(元/工日)=(中班津贴标准+夜班津贴标准)÷2×10%

(4)节日加班津贴(元/工日)=基本工资(元/工日)×3×10 天

÷年有效工作日×20%

3.工资附加费

(1)职工福利基金(元/工日)=[基本工资(元/工日)+辅助工资(元/工日)]×费率标准(%)×0.5

(2)工会经费(元/工日)=[基本工资(元/工日)+辅助工资(元/工日)]×费率标准(%)×0.5

(3)养老保险费(元/工日)=[基本工资(元/工日)+辅助工资(元/工日)]×费率标准(%)×0.5

(4)医疗保险费(元/工日)=[基本工资(元/工日)+辅助工资(元/工日)]×费率标准(%)×0.5

(5)工伤保险费(元/工日)=[基本工资(元/工日)+辅助工资(元/工日)]×费率标准(%)×0.5

(6)职工失业保险基金(元/工日)=[基本工资(元/工日)+辅助工资(元/工日)]×费率标准(%)×0.5

(7)住房公积金(元/工日)=[基本工资(元/工日)+辅助工资(元/工日)]×费率标准(%)×0.5

4.人工工日预算单价

人工工日预算单(元/工日)=基本工资+辅助工资+工资附加费

5.人工工时预算单价

人工工时预算单价(元/工日)÷日工作时间(元/工日)

注:人年有效工作日241天,日工作时间8小时。

(三)人工预算单价计算标准

1.基本工资

根据国家有关规定和开发建设项目的特点,确定开发建设项目标准。享受生活补贴的特殊地区,可按有关规定计算,并计入基本工资。根据国家有关规定和各行业目前工资水平,结合开发建设项目水土保持工程的特点,基本工资标准平均(六类地区)为

190元/月。

地区工资系数:根据劳动部规定,六类以上工资区的工资系数如下:

七类工资区	1.0261
八类工资区	1.0522
九类工资区	1.0783
十类工资区	1.1043
十一类工资区	1.1304

2.辅助工资标准

序号	项　目	标　准
1	地区津贴	按各省、自治区、直辖市的规定计算
2	施工津贴	3.5元/工日
3	夜餐津贴	2.5元/夜(中)班

3.工资附加费标准

序号	项　目	费率标准(%)
1	职工福利基金	10
2	工会经费	1
3	养老保险费	15
4	医疗保险费	4
5	工伤保险费	1
6	职工失业保险基金	2
7	住房公积金	5

二、材料预算价格

（一）主要材料预算价格

对于用量多、影响工程投资大的主要材料，如木材、水泥、块石、柴油、苗木、草及种子等，一般需编制材料预算价格。

主要材料预算价格一般包括材料原价、包装费、运杂费、运输保险费×材料采购及保管费五项。

计算公式为：

材料预算价格=（材料原价+包装费+运杂费）×（1+采购及保管费率）+运输保险费

1.材料原价

按工程所在地区就近大的材料公司、材料交易中心的市场价或选定的生产厂家的出厂价计算。

2.包装费

应按工程所在地区的实际资料及有关规定计算。

3.运杂费

铁路运输，按铁道部现行《铁路货物运价规则》及有关规定计算其运杂费。

公路及水路运输，按工程所在省、自治区、直辖市交通部门现行规定计算。

4.运输保险费

按工程所在省、自治区、直辖市或中国人民保险公司有关规定计算。

5.材料采购及保管费

材料采购及保管费按材料运到工地仓库价格的2%计算。

（二）其他材料预算价格

可执行工程所在地区就近城市建设工程造价管理部门颁发的工业民用建筑安装工程材料预算价格。

三、电、水、风预算价格

（一）施工用电价格

施工用电价格由基本电价、电能损耗摊销费和供电设施维修摊销费组成，按国家或工程所在省、自治区、直辖市规定的电网销售电价，以及有关规定计算。

（1）电网供电：

供电价格＝基本电价×1.06

（2）柴油发电机供电：

供电价格＝（柴油发电机组台时总费用÷柴油发电机额定容量之和）×1.4

（二）施工用水价格

施工用水价格由基本水价、供水损耗和供水设施维修摊销费组成，根据施工组织设计所配置的供水系统设备组（台）时总费用和总有效供水量计算。

施工用水价格＝（水泵组（台）时总费用÷水泵额定容量之和）×1.45

（三）施工用风价格

施工用风价格按 0.12 元/m^3 计算。

四、施工机械使用费

施工机械使用费采用《水土保持工程概算定额》附录中的施工机械台时费定额计算。对于定额缺项的施工机械，可参考有关行业的施工机械台时费定额。

五、砂石料单价

（1）水土保持工程砂石料由施工企业自行采备时，砂石料单价应根据料源情况、开采条件和工艺流程计算。

(2)外购砂、碎石(砾石)、块石、料石等预算价格超过70元/m^3的部分计取税金后列入相应部分之后。

六、混凝土材料单价

根据设计确定的不同工程部位的混凝土标号、级配和龄期,分别计算出每立方米混凝土材料单价(包括水泥、掺合料、砂石料、外加剂和水),计入相应的混凝土工程单价内。其混凝土配合比的各项材料用量,应根据工程试验提供的资料计算,若无试验资料时,可参照《水土保持工程概算定额》附录中的混凝土材料配合比表计算。

七、植物措施材料预算价格

苗木、草、种子的预算价格以苗圃或当地市场价格加运杂费和采购及保管费计算。

苗木、草、种子的采购及保管费率,按运到工地价的0.5%~1.0%计算。

第二节　工程措施、植物措施单价编制

一、工程措施单价

1.直接工程费

(1)直接费

人工费=定额劳动量(工时)×人工预算单价(元/工时)

材料费=定额材料用量×材料预算单价

机械使用费=定额机械使用量(台时)×施工机械台时费

(2)其他直接费=直接费×其他直接费率

(3)现场经费=直接费×现场经费费率

2.间接费

间接费=直接工程费×间接费率

3.企业利润

企业利润=(直接工程费+间接费)×企业利润率

4.税金

税金=(直接工程费+间接费+企业利润)×税率

5.工程单价

工程单价=直接工程费+间接费+企业利润+税金

二、植物措施单价

1.直接工程费

(1)直接费

人工费=定额劳动量(工时)×人工预算单价(元/工时)

材料费=定额材料用量(不含苗木、草及种子费)×材料预算单价

机械使用费=定额机械使用量(台时)×施工机械台时费

(2)其他直接费=直接费×其他直接费率

(3)现场经费=直接费×现场经费费率

2.间接费

间接费=直接工程费×间接费率

3.企业利润

企业利润=(直接工程费+间接费)×企业利润率

4.税金

税金=(直接工程费+间接费+企业利润)×税率

5.单价

单价=直接工程费+间接费+企业利润+税金

三、安装工程单价

包括直接工程费、间接费、企业利润、税金。

(1)排灌设备安装费按占排灌设备费的6%计算。

(2)监测设备安装费按占监测设备费的10%计算。

四、其他直接费

1.冬雨季施工增加费

计算方法:根据不同地区,按直接费的百分率计算。

西南、中南、华东	0.5%~0.8%
华北	0.8%~1.5%
西北、东北	1.5%~2.5%

西南、中南、华东区中,按规定不计冬季施工增加费的地区取小值,计算冬季施工增加费的地区可取大值;华北地区的内蒙古等较严寒地区可取大值,其他地区取中值或小值;西北、东北区中的陕西、甘肃等省取小值,其他地区可取中值或大值。

注:植物措施、机械固沙、土地整治工程取下限。

2.夜间施工增加费

按直按费的0.5%计算。

注:植物措施、机械固沙、土地整治工程不计此项费用。

3.特殊地区施工增加费

指在高海拔和原始森林等特殊地区施工而增加的费用,其中高海拔地区的高程增加费,按规定直接进入定额;其他特殊增加费(如酷热、风沙),应按工程所在地区规定的标准计算,地方没有规定的不得计算此项费用。

4.其他

按直接费的0.5%~1.0%计算。

注:植物措施、机械固沙、土地整治工程取下限。

五、现场经费

现场经费费率表

序号	工程类别	计算基础	现场经费费率(%)		
			合计	临时设施费	现场管理费
一	工程措施				
1	土石方工程	直接费	3~5	1	2~4
2	混凝土工程	直接费	6	3	3
3	基础处理工程	直接费	6	2	4
4	机械固滩	直接费	3	1	2
5	其他工程	直接费	5	2	3
二	植物措施	直接费	4	1	3

注:土地整治工程取下限。

六、间接费

间接费费率表

序号	工程类别	计算基础	间接费费率(%)
一	工程措施		
1	土石方工程	直接工程费	3~5
2	混凝土工程	直接工程费	4
3	基础处理工程	直接工程费	6
4	机械固沙	直接工程费	3
5	其他工程	直接工程费	4
二	植物措施	直接工程费	3

注:土地整治工程取下限。

七、企业利润

工程措施按直接工程费和间接费之和的7%计算。

植物措施按直接工程费和间接费之和的5%计算。

八、税金

税金=(直接工程费+间接费+企业利润)×税率

税率标准为:

建设项目在市区的	3.41%
建设项目在城镇的	3.35%
建设项目在市区或城镇以外的	3.22%

第三节　水土保持工程概算编制

第一部分　工程措施

(1)工程措施概算按设计工程量乘以工程单价进行编制。

(2)设备及安装工程按设备费及安装费分别计算,列入第一部分工程措施项目中。

(3)水土保持工程措施的项目划分,一级项目和二级项目按本规定执行,三级项目可根据水土保持方案或初步设计的工作深度要求和工程实际情况进行调整。

第二部分　植物措施

植物措施费由苗木、草、种子等材料费及种植费组成。

(1)植物措施材料费由苗木、草、种子的预算价格乘以数量进行编制。

(2)栽(种)植费按《水土保持工程概算定额》进行编制。

第三部分　施工临时工程

1.临时防护工程

指施工期为防止水土流失采取的临时防护措施,按设计方案的工程量乘以单价编制。

2.其他临时工程

按第一部分工程措施和第二部分植物措施投资的1.0%~2.0%编制(大型工程、植物保护措施工程取下限)。

第四部分　独立费用

1.建设管理费

按一至三部分之和的1%~2%计算。

2.工程建设监理费

按国家及建设工程所在省、自治区、直辖市的有关规定计算。

3.科研勘测设计费

(1)工程科学研究试验费,遇大型、特殊水土保持工程可列此项费用,按一至三部分之和的0.2%~0.5%计列,一般情况不列此项费用。

(2)勘测设计费按国家计委、建设部计价格[2002]10号文《工程勘察设计收费标准》计算。

4.水土流失监测费

按一至三部分之和的1%~1.5%计列。不包括主体工程中具有水土保持功能项目的水土流失监测费用。

5.工程质量监督费

按国家及建设工程所在省、自治区、直辖市的有关规定计算。

第四节　预备费及建设期融资利息

一、基本预备费

按一至四部分合计的3%计取。

二、价差预备费

根据施工年限不分设计阶段。以分年度的静态投资为基数，按国家规定的物价指数计算。计算公式为：

$$E = \sum_{n=1}^{N} F_n[(1+p)^n - 1]$$

式中　E——价差预备费；

N——合理建设工期；

n——施工年度；

F_n——建设期间第 n 年的分年投资；

p——年物价指数。

三、建设期融资利息

按国家财政金融政策规定计算。

第五章　概算表格

一、总概算表

总概算表

单位:万元

序号	工程或费用名称	建安工程费	植物措施费		设备费	独立费用	合计
			栽(种)植费	苗木、草、种子费			
	第一部分　工程措施						
	……						
	第二部分　植物措施						
	……						
	第三部分　施工临时工程						
	……						
	第四部分　独立费用						
	……						
	一至四部分合计						
	基本预备费						
	静态总投资						
	价差预备费						
	建设期融资利息						
	工程总投资						
	水土保持设施补偿费*						

注:水土保持设施补偿费属行政性收费项目,计算办法按有关规定执行。

二、分部工程概算表

本表适用于工程措施概算、植物措施概算、施工临时工程概算和独立费用，均按项目划分列至三级项目。

分部工程概算表

序号	工程或费用名称	单位	数量	单价(元)	合计(元)
	第一部分　工程措施				
	……				

三、分年度投资表

根据施工组织设计确定的施工进度安排，将工程措施、植物措施、施工临时工程、独立费用合理分摊到各施工年度并以此计算预备费即为分年度的投资。

分年度投资表

单位：万元

工程或费用名称	合计	建设工期(年)					
		1	2	3	4	5	6
一、工程措施							
×××工程(一级项目)							
二、植物措施							
×××工程(一级项目)							
三、施工临时工程							
×××工程(一级项目)							
四、独立费用							
×××费用(一级项目)							
一至四部分合计							
预备费							

四、概算附表

1.工程单价汇总表

工程单价汇总表

单位:元

序号	工程名称	单位	单价	其中							
				人工费	材料费	机械使用费	其他直接费	现场经费	间接费	企业利润	税金

2.主要材料价格预算表

主要材料价格预算表

单位:元

序号	名称及规格	单位	预算价格	其中		
				原价	运杂费	采购及保管费

3.次要材料价格预算表

次要材料价格预算表

单位:元

序号	名称及规格	单位	单价		
			原价	运杂费	合计

4.施工机械台时费汇总表

施工机械台时费汇总表

单位:元

序号	名称及规格	台时费	其中				
			折旧费	修理及替换设备费	安拆费	人工费	动力燃料费

5.主体工程主要工程量汇总表

主体工程主要工程量汇总表

序号	工程项目	土石方开挖(m^3)	土石方填筑(m^3)	混凝土(m^3)	钢筋(t)	帷幕灌浆(m)	固结灌浆(m)

6.主体工程主要材料量汇总表

主体工程主要材料量汇总表

序号	工程项目	水泥(t)	钢筋(t)	木材(m^3)	炸药(kg)	柴油(kg)	苗木(株)	草(草皮)(m^2)	籽(树、草)(kg)

7.主体工程工时汇总表

主体工程工时汇总表

序号	工程项目	工时数量	备注

五、概算附件表格

1.人工预算单价计算表

人工预算单价计算表

地区类别		定额基本工资	
序号	工程项目	计算式	单价(元)
1	基本工资		
2	辅助工资		
(1)	地区津贴		
(2)	施工津贴		
(3)	夜餐津贴		
(4)	节日加班津贴		
3	工资附加费		
(1)	职工福利基金		
(2)	工会经费		
(3)	养老保险费		
(4)	医疗保险费		
(5)	工伤保险费		
(6)	职工失业保险基金		
(7)	住房公积金		
4	人工工日预算单价		
5	人工工时预算单价		

2.主要材料运杂费用计算表

主要材料运杂费用计算表

序号	运杂费用项目	运输起止地点	运输距离(km)	计算公式	合计(元)
	铁路运杂费				
	公路运杂费				
	水路运杂费				
	场内运杂费				
	合　计				

3.主要材料预算价格计算表

主要材料预算价格计算表

序号	名称及规格	单位	单位毛重(t、kg)	每吨(公斤)运费(元)	价格(元)				
					原价	运杂费	到工地价格	采保费	预算价格

4.混凝土材料单价计算表

混凝土材料单价计算表

序号	混凝土标号	级配	预算量					单价(元)
			水泥(kg)	掺合料(kg)	砂(m^3)	石子(m^3)	水(kg)	

5.工程措施单价表

工程措施单价表

定额编号 ____________工程 定额单位：

施工方法：

序号	名称及规格	单位	数量	单价(元)	合计(元)

6.植物措施单价表

植物措施单价表

定额编号 ____________工程 定额单位：

施工方法：

序号	名称及规格	单位	数量	单价(元)	合计(元)

第二部分　投资估算的编制

投资估算是设计文件的重要组成部分,是概算静态总投资的最高限额,不得任意突破。

投资估算与概算在组成内容、项目划分和费用构成上基本相同,因设计深度有所不同,因此在编制投资估算时,在组成内容、项目划分和费用构成上,可适当简化合并或调整。

现将投资估算的编制方法及计算标准规定如下:

(1)基础单价的编制与概算相同。

(2)工程措施、植物措施单价的编制与概算相同,但考虑设计深度不同,应乘以10%的扩大系数。

(3)施工临时工程、独立费用的编制方法及标准与概算相同。

(4)投资估算基本预备费费率取6%;价差预备费费率与概算相同。

(5)投资估算表格与概算表格相同。

水土保持生态建设工程
概(估)算编制规定

总　　则

1.为了加强水土保持生态建设工程造价的管理及控制，统一概（估）算编制原则和方法，提高概（估）算编制的质量，依据《中华人民共和国水土保持法》、《中华人民共和国水土保持法实施条例》和《水土保持综合治理规划通则》（GB/T15772－1995）、《水土保持综合治理验收规范》（GB/T15773－1995）、《水土保持综合治理技术规范》（GB/T16453.1～1645.6－1996），参照水利部有关概（估）算编制文件精神，结合水土保持生态建设工程的具体情况，制定本规定。

2.本规定适用于中央投资、中央补助、地方投资或其他投资的水土保持生态建设综合治理工程。

3.本规定应与《水土保持工程概算定额》配套使用。概（估）算编制实行静态控制，动态管理。

4.工程概（估）算应按编制年的国家政策及价格水平进行编制。开工前如设计方案有重大变更、国家政策及物价有较大变化时，应根据开工年的国家政策及价格水平重新编制，并报原审批单位审批。

5.本规定由水利部水利水电规划设计总院负责管理和解释。

第一部分　设计概算的编制

第一章　概　述

一、编制说明

1.水土保持生态建设工程,按治理措施划分为工程措施、林草措施及封育治理措施三大类。

2.水土保持生态建设工程概算由工程措施费、林草措施费、封育治理措施费和独立费用四部分组成。

3.工程措施、林草措施及封育治理措施通常下设一级、二级、三级项目,独立费用下设一级、二级项目,一般不得合并。

二、概算文件编制依据

1.工程概算编制规定。
2.水土保持工程概算定额。
3.工程设计有关资料和图纸。
4.国家和工程所在省、自治区、直辖市颁布的设备、材料价格。
5.其他有关资料。

三、概算文件组成内容

概算文件应包括三方面内容:编制说明、概算表和附件。

(一)编制说明

1.工程概况

工程所属水系、地点、范围、治理的主要措施和工程量、材料用量、施工总工期、总工时、工程总投资、资金来源和投资比例等。

2.编制依据

(1)设计概算编制原则和依据。

(2)人工、主要材料,施工用水、电、燃油、砂石料、苗木、草、种子等预算价格的计算依据。

(3)主要设备价格的计算依据。

(4)费用计算标准及依据。

(5)征地及淹没处理补偿费的简要说明。

(二)概算表

(1)总概算表;

(2)分部工程概算表;

(3)独立费用计算表;

(4)分年度投资表;

(5)单价汇总表;

(6)主要材料、苗木、草、种子预算价格汇总表;

(7)施工机械台时费汇总表;

(8)主要材料量汇总表;

(9)设备、仪器及工具购置表。

(三)附件

(1)单价分析表;

(2)水、电、风、砂及石料单价计算书;

(3)主要材料、苗木、草、种子预算价格计算书。

设计概算表及其附件,可以根据工程实际需要进行取舍,但不能合并。

第二章　项目划分

一、工程措施

由梯田工程，谷坊、水窖、蓄水池工程，小型蓄排、引水工程，治沟骨干工程，机械固沙工程，设备及安装工程，其他工程七项组成。

1.梯田工程

包括人工修筑梯田和机械修筑梯田。

2.谷坊、水窖、蓄水池工程

包括土谷坊、砌石谷坊、植物谷坊，薄壁型水窖、钢筋混凝土盖碗型水窖、素混凝土肋拱盖碗型水窖、素混凝土拱底顶拱圆柱型水窖、混凝土球型水窖、砖拱型水窖、平窑型水窖和沉沙池、涝池、开敞式矩形蓄水池、封闭式矩形蓄水池、开敞式圆形蓄水池、封闭式圆形蓄水池等。

3.小型蓄排、引水工程

包括淤地坝、截水沟、排水沟、排洪(灌溉)渠道、扬水(灌溉)泵站等工程。

4.治沟骨干工程

包括土石坝、砌石坝、混凝土坝等各类水坝(堰)。

5.设备及安装工程

指排灌及监测等构成固定资产的全部设备及安装工程。

6.机械固沙工程

包括土石压盖，防沙土墙，柴草、树枝沙障等。

7.其他工程

包括永久性动力、通讯线路、房屋建筑、简易道路及其他配套设施工程。

二、林草措施

由水土保持造林工程、水土保持种草工程及苗圃三部分组成。

1.水土保持造林工程

包括播种和栽植前的土地整理、果树换土、部分苗木假植，栽植乔木、灌木、经济林、果树苗和播种乔木、灌木、经济林、果树的种子及建设期的幼林抚育等。

2.水土保持种草工程

包括栽植草、草皮和播种草籽等。

3.苗圃

包括苗圃育苗、育苗棚、围栏及管护房屋等。

三、封育治理措施

由拦护设施、补植补种两部分组成。

1.拦护设施

木桩刺铁丝围栏、混凝土刺铁丝围栏等。

2.补植、补种

指封育范围内补植乔木、灌木、经济林、果树的苗木及草、草皮和播种乔木、灌木、经济林、果树的种子及草籽。

四、独立费用

由建设管理费、工程建设监理费、科研勘测设计费、征地及淹没补偿费、水土流失监测费及工程质量监督费等六项组成。

1.建设管理费

包括项目经常费和技术支持培训费。

(1)项目经常费。指建设单位在工程项目的立项、筹建、建设、竣工验收、总结等工作中所发生的管理费用。主要包括：工作人员的工资、附加工资、工资补贴、办公费、差旅交通费、工程招标费、咨询费、完工清理费、林草管护费及一切管理费用性质的开支。

(2)技术支持培训费。为了提高水土保持人员的素质和管理水平,保证治理质量,提高治理水平,促进水土保持工作的发展,对主要水土保持技术人员、治理区的县乡村领导、干部和农民群众,进行各种类型的技术培训所发生的费用。

2.工程建设监理费

指工程开工后,聘请监理单位对工程的质量、进度、投资进行监理所发生的各项费用。

3.科研勘测设计费

包括科学研究试验费和勘测设计费。

(1)科学研究试验费。指在工程建设过程中,为解决工程中的特殊技术难题,而进行必要科学研究所需的经费。一般不列此项费用。

(2)勘测设计费。指项目建议书、可行性研究、初步设计和施工图设计阶段(含招标设计)发生的勘测费、设计费和为勘测设计服务的科研试验费用。勘测设计的工作内容、范围及工作深度,应满足各设计阶段的要求。

4.征地及淹没补偿费

指工程建设需要的永久征地、临时征地及地面附着物等所需支付的补偿费用。

5.水土流失监测费

指施工期内为控制水土流失、监测生态环境治理效果所发生的各项费用。

6.工程质量监督费

指为保证工程质量而进行的监督、检查等发生的费用。

第一部分　工程措施

序号	一级项目	二级项目	三级项目	技术经济指标
一	梯田工程			
1		人工修筑梯田		
			人工土坎梯田	元/hm^2
			人工石坎梯田	元/hm^2
			人工土石坎梯田	元/hm^2
			人工修植物坎梯田	元/hm^2
2		机械修筑梯田		
			机修土坎梯田	元/hm^2
			机修石坎梯田	元/hm^2
			机修土石坎梯田	元/hm^2
3		客土		元/m^3
二	谷坊、水窖、蓄水池工程			
1		谷坊		
			土谷坊	元/10m 谷坊
			干砌石谷坊	元/10m 谷坊
			浆砌石谷坊	元/10m 谷坊
			柳桩编篱植物谷坊	元/10m 谷坊
			多排密植植物谷坊	元/10m 谷坊
2		水窖		
			水泥砂浆薄壁型水窖	元/座
			钢筋混凝土盖碗型水窖	元/座

续表

序号	一级项目	二级项目	三级项目	技术经济指标
			混凝土肋拱盖碗型水窖	元/座
			混凝土拱底顶拱圆柱型水窖	元/座
			混凝土球型水窖	元/座
			砖拱型水窖	元/座
			平窑型水窖	元/座
			崖窑型水窖	元/座
			传统瓶式水窖	元/座
			混凝土弧形水窖	元/座
3		水池		
			沉沙池	元/座
			涝池	元/座
			开敞式矩形蓄水池	元/座
			封闭式矩形蓄水池	元/座
			开敞式圆形蓄水池	元/座
			封闭式圆形蓄水池	元/座
三	小型蓄排、引水工程			
1		淤地坝		
			土方开挖	元/m^3
			土方填筑	元/m^3
			砌石	元/m^3
			混凝土	元/m^3
2		截水沟、排水沟		

续表

序号	一级项目	二级项目	三级项目	技术经济指标
			土方开挖	元/m^3
			土方回填	元/m^3
			砌石	元/m^3
			混凝土	元/m^3
3		排洪(灌溉)渠		
			土方开挖	元/m^3
			石方开挖	元/m^3
			土石方回填	元/m^3
			砌石	元/m^3
			混凝土	元/m^3
			其他工程	
4		扬水(灌溉)泵站		
			土方开挖	元/m^3
			石方开挖	元/m^3
			土石方回填	元/m^3
			砌石	元/m^3
			混凝土	元/m^3
			钢筋混凝土管	元/m
			泵房建筑	元/m^2
			其他工程	
四	治沟骨干工程			
1		土石坝		
			土方开挖	元/m^3
			石方开挖	元/m^3

续表

序号	一级项目	二级项目	三级项目	技术经济指标
			土料填筑	元/m^3
			反滤体填筑	元/m^3
			坝体(趾)堆石	元/m^3
			其他工程	
2		砌石坝		
			土方开挖	元/m^3
			石方开挖	元/m^3
			干砌石	元/m^3
			浆砌石	元/m^3
			混凝土	元/m^3
			其他工程	
3		混凝土坝		
			土方开挖	元/m^3
			石方开挖	元/m^3
			土方回填	元/m^3
			石方回填	元/m^3
			干砌石	元/m^3
			浆砌石	元/m^3
			混凝土	元/m^3
			固结灌浆	元/m
			钢筋	元/t
			其他工程	
五	机械固沙工程			
1		压盖		

续表

序号	一级项目	二级项目	三级项目	技术经济指标
			粘土压盖	元/m^2
			泥墁压盖	元/m^2
			卵石压盖	元/m^2
			砾石压盖	元/m^2
2		沙障		
			防沙土墙	元/m^3
			粘土埂	元/m
			高立式柴草沙障	元/m
			低立式柴草沙障	元/m
			立杆串草把沙障	元/m
			立埋草把沙障	元/m
			立杆编织条沙障	元/m
			防沙栅栏	元/m
六	设备及安装工程			
1		排灌设备		
			设备费	元/台
			安装费	元
2		监测设备		
			设备费	元/台
			安装费	元
七	其他工程			
1		供电线路		元/km
2		通讯线路		元/km
3		房屋建筑		元/m^2
4		其他		

第二部分　林草措施

序号	一级项目	二级项目	三级项目	技术经济指标
一	水土保持造林工程			
1		整地		
			水平阶整地	元/hm^2
			反坡梯田整地	元/hm^2
			水平沟整地	元/hm^2
			窄梯田整地	元/hm^2
			水平犁沟整地	元/hm^2
			大、小鱼鳞坑整地	元/hm^2
			穴状整地	元/hm^2
			换土	元/m^3
2		假植		
			假植乔木	元/株
			假植灌木	元/株
3		栽(种)植		
			条播	元/hm^2
			穴播	元/hm^2
			撒播	元/hm^2
			飞播造林	元/hm^2
			植灌木苗	元/株
			植乔木苗	元/株
			插条	元/株
			插干	元/株

续表

序号	一级项目	二级项目	三级项目	技术经济指标
			高秆造林	元/株
			栽植经济林	元/株
			栽植果林	元/株
4		苗木(种子)		
			乔木、灌木	元/株
			经济林	元/株
			果林	元/株
			种子	元/kg
5		抚育工程		
			幼林抚育	元/hm^2
二	水土保持种草工程			
1		栽(种)植		
			条播	元/hm^2
			穴播	元/hm^2
			撒播	元/hm^2
			飞播种草	元/hm^2
			栽植草	元/hm^2
			铺草皮	元/m^2
2		草(种子)		
			草皮	元/m^2
			种子	元/kg
三	苗圃			

续表

序号	一级项目	二级项目	三级项目	技术经济指标
1		树种子或树苗		元/kg、元/株
2		草种子、草皮		元/kg、元/m^2
3		育苗棚		元/m^2
4		围栏		元/m
5		管护房屋		元/m^2
6		水井		元/眼
7		其他		

第三部分　封育治理措施

序号	一级项目	二级项目	三级项目	技术经济指标
一	拦护设施			
		木桩刺铁丝围栏		元/m
		混凝土刺铁丝围栏		元/m
二	补植、补种			
		栽植树苗		元/株
		栽植经济林苗		元/株
		栽植果树苗		元/株
		栽植草		元/hm^2
		铺草皮		元/m^2
三	苗木、种子			
		树苗		元/株
		经济林苗		元/株

续表

序号	一级项目	二级项目	三级项目	技术经济指标
		果树苗		元/株
		草皮		元/m^2
		树种子		元/kg
		草种子		元/kg

第四部分　独立费用

序号	一级项目	二级项目	三级项目	技术经济指标
一	建设管理费			
1		项目经常费		
2		技术支持培训费		
二	工程建设监理费			
三	科研勘测设计费			
1		科学研究试验费		
2		勘测费		
3		设计费		
四	征地及淹没补偿费			
1		土地		
2		房屋		
3		树		
4		其他		
五	水土流失监测费			
六	工程质量监督费			

第三章　编制方法及计算标准

工程措施、林草措施和封育治理措施费由直接费、间接费、企业利润和税金组成。

直接费指工程施工过程中直接消耗在工程项目上的活劳动和物化劳动，由基本直接费和其他直接费组成。基本直接费包括人工费、材料费、机械使用费。

一、基础单价

(一)人工工资

1.工程措施

人工工资：按1.5～1.9元/工时(地区类别高、工程复杂取高限，地区类别低、工程不复杂取低限)。

2.林草措施

人工工资：按1.2～1.5元/工时(地区类别高、工程复杂取高限，地区类别低、工程不复杂取低限)。

3.封育治理措施

人工工资：按1.2～1.5元/工时(地区类别高、工程复杂取高限，地区类别低、工程不复杂取低限)。

(二)材料预算价格

1.主要材料价格

按当地供应部门材料价或市场价加运杂费及采购保管费计算。

2.砂、石料价格

按当地购买价或自采价计算。购买价超过70元/m^3的部分计取税金后列入相应部分之后。

3.电价

按0.6元/(kW·h)计算,或根据当地实际电价计算。

4.水价

按1.0元/m^3计算,或根据实际供水方式计算。

5.风价

按0.12元/m^3计算。

6.采购及保管费费率

工程措施按1.5%~2.0%;林草措施、封育治理措施按1.0%。

(三)林草(籽)预算价格

按当地市场价格加运杂费及采购保管费计算。

(四)施工机械使用费

施工机械使用费按《水土保持工程概算定额》附录中的施工机械台时费定额计算。

二、取费标准

(一)其他直接费

包括冬雨季施工增加费,仓库、简易路、涵洞、工棚、小型临时设施摊销费及其他等。

其他直接费费率表

工程类别	计算基础	其他直接费费率(%)
工程措施	占基本直接费	3.0~4.0
林草措施	占基本直接费	1.5
封育治理措施	占基本直接费	1.0

注:工程措施中的梯田工程取基本直接费的2.0%,设备及安装工程和其他工程不再计其他直接费。

(二)间接费

间接费是指工程施工过程中构成成本,但又不直接消耗在工程项目上的有关费用。包括工作人员工资、办公费、差旅费、交通费、固定资产使用费、管理用具使用费和其他费用等。

间接费费率表

工程类别	计算基础	间接费费率(%)
工程措施	占直接费	5~7
林草措施	占直接费	5
封育治理措施	占直接费	4

注:工程措施中的梯田工程、机械固沙、谷坊、水窖工程取下限,治沟骨干工程、蓄水池工程、小型蓄排、引水工程取上限。设备及安装工程、其他工程及林草措施中的育苗棚、管护房、水井等均不再取间接费。

(三)企业利润

指按规定应计入工程措施、林草措施和封育治理措施费用中的利润。

(1)工程措施:利润按直接费与间接费之和的3%~4%计算。设备及安装工程、其他工程是按指标计算的,不再计利润。

(2)林草措施:利润按直接费与间接费之和的2%计算。其中育苗棚、管护房、水井是按指标计算的,不再计利润。

(3)封育治理措施:利润按直接费与间接费之和的1%~2%计算。

(四)税金

指国家对施工企业承担建筑、安装工程作业收入所征收的营业税、城市维护建设税和教育费附加。

(1)工程措施:税金按直接费、间接费、企业利润之和的3.22%计算。设备及安装工程、其他工程是按指标计算的,不再计税金。

(2)林草措施:税金按直接费、间接费、企业利润之和的3.22%计算。林草措施中的育苗棚、管护房、水井是按指标计算的,不再计税金。

(3)封育治理措施:税金按直接费、间接费、企业利润之和的3.22%计算。

三、单价的编制

(一)工程措施单价的编制

1.直接费

直接费=基本直接费+其他直接费

基本直接费=人工费+材料费+机械使用费

其他直接费=基本直接费×其他直接费费率

2.间接费

间接费=直接费×间接费费率

3.企业利润

企业利润=(直接费+间接费)×企业利润率

4.税金

税金=(直接费+间接费+企业利润)×税率

5.单价

单价=直接费+间接费+企业利润+税金

(二)林草及封育治理措施单价的编制

1.直接费

直接费=基本直接费+其他直接费

基本直接费=人工费+材料费(不含苗木、草及种子费)+机械使用费

其他直接费=基本直接费×其他直接费费率

2.间接费

间接费=直接费×间接费费率

3.企业利润

企业利润=(直接费+间接费)×企业利润率

4.税金

税金=(直接费+间接费+企业利润)×税率

5.单价

单价=直接费+间接费+企业利润+税金

(三)安装工程单价的编制

指构成固定资产的全部设备的安装费。安装费中包括直接费、间接费、企业利润、税金。

(1)排灌设备的安装费占排灌设备费的6%。

(2)监测设备的安装费占监测设备费的10%。

四、分部工程概算的编制

第一部分　工程措施

(1)梯田工程,谷坊、水窖、蓄水池工程,小型蓄排、引水工程,治沟骨干工程,机械固沙工程,根据设计工程量乘以按《水土保持工程概算定额》计算的单价进行编制。

(2)设备及安装工程:设备费按设计的设备数量乘以设备的预算价格编制,设备安装费按设备费乘以费率进行编制。

(3)其他工程:按设计的数量乘以扩大单位指标进行编制。

第二部分　林草措施

(1)栽植各类树苗、树枝、树干、草、草皮及播种树籽、草籽的费用:根据设计的苗木、草皮及种子的数量乘以按《水土保持工程概算定额》计算的单价进行编制。

(2)各类树苗、树枝、树干、草、草皮等的购置费:根据设计的数量(扣除本工程自建苗圃提供的树苗、树枝、树干、草、草皮等的数量)分别乘以树苗、树枝、树干、草、草皮等的预算价格进行编制。

(3)各类树种子及草种子的购置费:根据设计的数量分别乘以树种子及草种子的预算价格进行编制。

(4)抚育费根据设计需要的抚育内容、数量、次数及时间,按

《水土保持工程概算定额》进行计算。

(5)苗圃中的育苗棚、管护房、水井按扩大单位指标进行编制。

第三部分　封育治理措施

(1)补植各类树苗、草皮及补种树籽、草籽的费用:根据设计的树苗、草皮及种子的数量乘以按《水土保持工程概算定额》计算的单价进行编制。

(2)各类树苗、树枝、树干、草、草皮等的购置费:根据设计的数量(扣除本工程自建苗圃提供的树苗、树枝、树干、草、草皮等的数量)分别乘以树苗、树枝、树干、草、草皮等的预算价格进行编制。

(3)各类树种子及草种子的购置费:根据设计的数量分别乘以树种子及草种子的预算价格进行编制。

(4)拦护设施:根据设计工程量乘以按《水土保持工程概算定额》计算的单价进行编制。

第四部分　独立费用

1.建设管理费

(1)项目经常费。按第一部分至第三部分之和的0.8%~1.6%计算。

(2)技术支持培训费。按第一部分至第三部分之和的0.4%~0.8%计算。

2.工程建设监理费

按国家及建设工程所在省、自治区、直辖市的有关规定计算。

3.科研勘测设计费

(1)科学研究试验费。按第一部分至第三部分之和的0.2%~0.4%计算。一般不列此项目。

(2)勘测设计费。按国家计委、建设部计价格[2002]10号文《工程勘察设计收费标准》计算。

4.征地及淹没补偿费

按工程建设及施工占地和地面附着物等的实物量乘以相应的

补偿标准计算。

5.水土流失监测费

按第一部分至第三部分之和的0.3%~0.6%计算。

6.工程质量监督费

按国家及建设工程所在省、自治区、直辖市的有关规定计算。

五、工程总投资

指工程静态总投资、工程总投资。

(1)工程静态总投资包括工程措施费、林草措施费、封育治理措施费、独立费用和基本预备费。

(2)工程总投资包括工程措施费、林草措施费、封育治理措施费、独立费用、基本预备费和价差预备费。

六、预备费

包括基本预备费和价差预备费。

1.基本预备费

按工程概算第一至第四部分之和的3%计取。

2.价差预备费

根据工程施工工期,以分年度的静态投资为计算基数,按国家规定的物价上涨指数计算。

计算公式:

$$E = \sum_{n=1}^{N} F_n \left[(1 + p)^n - 1 \right]$$

式中 E——价差预备费;

N——合理建设工期;

n——施工年度;

F_n——建设期间第n年的分年投资;

p——年物价指数。

七、概(估)算表格

下列表1至表9作为编报设计概（估）算的基本表格，随工程设计文件一并上报；单价分析表，水、电、砂石料单价计算书，主要材料、苗木（种子）预算价格计算书作为设计概（估）算的附件上报。

表1　　　　　　　　总概算表　　　　　　　　单位:万元

序号	工程或费用名称	建安工程费	林草工程费		设备费	独立费用	合计
			栽植费	林草及种子费			
	第一部分　工程措施						
一	梯田工程						
二	谷坊、水窖、蓄水池工程						
三	小型蓄排、引水工程						
四	治沟骨干工程						
五	机械固沙工程						
六	设备及安装工程						
七	其他工程						
	第二部分　林草措施						
一	水土保持造林工程						

续表

序号	工程或费用名称	建安工程费	林草工程费		设备费	独立费用	合计
			栽植费	林草及种子费			
二	水土保持种草工程						
三	苗圃						
	第三部分　封育治理措施						
一	拦护设施						
二	补植(补种)						
	第四部分　独立费用						
一	建设管理费						
二	工程建设监理费						
三	科研勘测设计费						
四	征地及淹没补偿费						
五	水土流失监测费						
六	工程质量监督费						
	一至四部分合计						
	预备费						
	静态总投资						
	工程总投资						

表 2　　　　　　　　分部工程概算表

序号	工程或费用名称	单位	数量	单价(元)	合计(元)
	第一部分　工程措施				
一	梯田工程				
1	人工修筑梯田				
	人工土坎梯田	元/hm^2			
	人工石坎梯田	元/hm^2			
	人工土石坎梯田	元/hm^2			
	人工修植物坎梯田	元/hm^2			
	……				
	第二部分　林草措施				
一	水土保持造林工程				
	……				
二	水土保持种草工程				
1	栽(种)植				
	条播	元/hm^2			
	穴播	元/hm^2			
	撒播	元/hm^2			
	飞播种草	元/hm^2			
	栽植草	元/hm^2			
	铺草皮	元/m^2			
	……				

续表

序号	工程或费用名称	单位	数量	单价(元)	合计(元)
	第三部分　封育治理措施				
	……				
	第四部分　独立费用				
一	建设管理费				
1	项目经常费				
2	技术支持培训费				
二	工程建设监理费				
三	科研勘测设计费				
四	征地及淹没补偿费				
五	水土流失监测费				
六	工程质量监督费				
	一至四部分合计				
	预备费				
	静态总投资				
	工程总投资				

表 3　　**分年度投资表**　　单位:万元

工程及费用名称	合计	建设工期(年)			
		1	2	3	4
第一部分　工程措施					
梯田工程					
谷坊、水窖、蓄水池工程					
小型蓄排、引水工程					
治沟骨干工程					
机械固沙工程					
设备及安装工程					
其他工程					
第二部分　林草措施					
水土保持造林工程					
水土保持种草工程					
苗圃					
第三部分　封育治理措施					
拦护设施					
补植(补种)					
第四部分　独立费用					
建设管理费					

续表

工程及费用名称	合计	建设工期(年)			
		1	2	3	4
工程建设监理费					
科研勘测设计费					
征地及淹没补偿费					
水土流失监测费					
工程质量监督费					
一至四部分合计					

表4　　独立费用计算表

序号	费用名称	编制依据及计算公式	金额(元)
一	建设管理费		
二	工程建设监理费		
三	科研勘测设计费		
四	征地及淹没补偿费		
五	水土流失监测费		
六	工程质量监督费		

表 5　　　　　　　　　　单价汇总表　　　　　　　　　　单位:元

序号	工程名称	单位	单价	直接费	间接费	企业利润	税金

表 6　　　　主要材料、林草(种子)预算价格汇总表　　　　单位:元

序号	名称及规格	单位	预算价格	其中		
				原价	运杂费	采购及保管费

表 7　　　　　　　　施工机械台时费汇总表　　　　　　　　单位:元

序号	名称及规格	台时费	其中				
			折旧费	修理及替换设备费	安拆费	人工费	动力燃料费

表 8　　　　主要材料量汇总表

序号	工程项目	水泥(t)	钢筋(t)	木材(m^3)	炸药(kg)	柴油(t)	林草(株、m^2)	种子(kg)	化肥(kg)

表 9　　　　设备、仪器及工具购置表

序号	名称、规格及型号	单位	数量	单价(元)	合计(元)

填表说明:

(1)总概算表(表 1),是由分部工程概算表(表 2)汇总加预备费而成。

(2)分部工程概算表(表 2),适用于编制工程措施、林草措施、封育治理措施和独立费用概(估)算。按项目划分工程措施、林草措施、封育治理措施均应列至三级项目,独立费用列至二级项目。

(3)分年度投资表(表 3),按项目划分列至一级项目。

(4)独立费用计算表(表 4),按项目划分计算至二级项目。

八、概算附件

(1)单价分析表。

(2)水、电、砂石料单价计算书。

(3)主要材料、苗木(种子)预算价格计算书。

单价分析表

定额编号：

序号	工程名称	单位	数量	单价(元)	合计(元)
一	直接费				
(一)	基本直接费				
1	人工费				
2	材料费				
3	机械使用费				
(二)	其他直接费				
二	间接费				
三	企业利润				
四	税金				

第二部分　投资估算的编制

投资估算是可行性研究报告的重要组成部分，是批准初步设计的重要依据，还是初步设计概算静态总投资的最高限额，一般不得突破。

可行性研究投资估算与初步设计概算在组成内容、项目划分和费用构成上基本相同，仅设计深度不同，因此在编制可行性研究投资估算时，在项目划分、组成内容和费用构成上，可适当简化合并或调整。

现将可行性研究投资估算的编制方法及计算标准规定如下：

(1)基础单价的编制与概算相同。

(2)工程措施、林草措施及封育治理措施工程单价的编制与概算相同，考虑设计深度不同，单价应乘以1.05的扩大系数。

(3)独立费用的编制方法及标准与概算相同。

(4)可行性研究投资估算基本预备费费率取6%；价差预备费费率与概算相同。

(5)投资估算表格基本与概算表格相同。

附　录

附录 1

关于发布《工程建设监理费有关规定》的通知

(1992年9月18日　国家物价局　建设部[1992]价费字479号)

各省、自治区、直辖市及计划单列市物价局(委员会)、建委(建设厅),国务院各有关部门:

一九八八年以来,我国开始试行工程建设监理制度。几年的实践表明,实行工程建设监理制度,在控制工期、投资和保证质量等方面都发挥了积极作用。为了保证工程建设监理事业的顺利发展,维护建设单位和监理单位的合法权益,现对工程建设监理费有关问题规定如下:

一、工程建设监理,由取得法人资格,具备监理条件的工程监理单位实施,是工程建设的一种技术性服务。

二、工程建设监理,要体现"自愿互利、委托服务"的原则,建设单位与监理单位要签订监理合同,明确双方的权利和义务。

三、工程建设监理费,根据委托监理业务的范围、深度和工程的性质、规模、难易程度以及工作条件等情况,按照下列方法之一计收:

(一)按所监理工程概(预)算的百分比计收(见附表);

(二)按照参与监理工作的年度平均人数计算:3.5万~5万元/(人·年);

(三)不宜按(一)、(二)两项办法计收的,由建设单位和监理单位按商定的其他方法计收。

四、以上(一)、(二)两项规定的工程建设监理收费标准为指导性价格,具体收费标准由建设单位和监理单位在规定的幅度内协商确定。

五、中外合资、合作、外商独资的建设工程,工程建设监理费双方参照国际标准协商确定。

六、工程建设监理费用于监理工作中的直接、间接成本开支,缴纳税金和合理利润。

七、各监理单位要加强对监理费的收支管理,自觉接受物价和财务监督。

八、国务院各有关部门和各省、自治区、直辖市物价部门、建设部门可依据本通知规定,结合本地区、本部门情况制定具体实施办法,报国家物价局、建设部备案。

九、本通知自一九九二年十月一日起施行。

附表　　　　工程建设监理收费标准

序号	工程概(预)算 M(万元)	设计阶段(含设计招标)监理取费 a(%)	施工(含施工招标)及保修阶段监理取费 b(%)
1	$M<500$	$0.2<a$	$2.5<b$
2	$500\leqslant M<1000$	$0.15<a\leqslant0.20$	$2.00<b\leqslant2.50$
3	$1000\leqslant M<5000$	$0.10<a\leqslant0.15$	$1.40<b\leqslant2.00$
4	$5000\leqslant M<10000$	$0.08<a\leqslant0.10$	$1.20<b\leqslant1.40$
5	$10000\leqslant M<50000$	$0.05<a\leqslant0.08$	$0.80<b\leqslant1.20$
6	$50000\leqslant M<100000$	$0.03<a\leqslant0.05$	$0.60<b\leqslant0.80$
7	$100000\leqslant M$	$a\leqslant0.03$	$b\leqslant0.60$

附录2

国家计委、财政部关于第一批降低22项收费标准的通知

（1997年12月15日　计价费[1997]2500号）

根据《中共中央、国务院关于治理向企业乱收费、乱罚款和各种摊派等有关问题的决定》（中发[1997]14号）精神，国家计委、财政部对部分行业的收费进行了清理，经国务院减轻企业负担部际联席会议批准，决定第一批降低22项收费标准。现将具体项目和标准通知如下：

一、管理费（9项）

（一）公路运输管理费。收费标准从最高不超过营运（营业）收入的1%，降低到最高不超过营运（营业）收入的0.8%。

（二）水路运输管理费。收费标准从最高不超过营运（营业）收入的2%，降低到最高不超过营运（营业）收入的1.6%。

（三）证券、期货市场监管费。国家计委、财政部已以计价费[1997]2023号文件下达收费标准，请按照执行。

（四）乡镇企业管理费。收费标准从按销售收入的0.5%~0.7%，降低到0.1%。

（五）野生动物资源保护管理费。对中医药生产企业收取的野生动物资源保护管理费收费标准从按销售额的6%~8%，降低到1%~2%。

（六）免税商品海关监管手续费。收费标准从按进货到岸价格的2%，降低到1.5%。

（七）工程定额编制管理费。对沿海城市和建安工作量大的

地区，收费标准从不超过建安工作量的0.5‰~1‰降低到0.4‰~0.8‰；对其他地区收费标准从不超过建安工作量的0.5‰~1.5‰，降低到0.4‰~1.3‰。

（八）劳动定额测定费。凡单独设立劳动定额管理机构进行定额测定编制工作，并为企业提供服务的，收费标准从不超过建安工作量的0.3‰~1‰，降低到0.2‰~0.8‰；未单独设立劳动定额管理机构的各级定额管理站，其测定劳动定额只是为编制概（预）算定额服务的，按本文第（七）项降低后收费标准执行；对在测定的基础上单独编制劳动定额，且为企业提供服务的，收费标准从在工程定额编制管理费基础上增加0.3‰~0.5‰的定额测定费一并收取，降低到在第（七）项降低后收费标准基础上增加0.1‰~0.3‰的定额测定费一并收取。

（九）城市房屋拆迁管理费。收费标准从不超过房屋拆迁补偿安置费用的0.5%~1%，降低到0.3%~0.6%。

二、证照费（3项）

（一）取水许可证收费。收费标准从每套35元，降低到每套10元。

（二）统一代码证书费。正本收费标准从每本50元，降低到工本费每本10元，另收技术服务费35元；副本收费标准从每本30元，降低到每本8元。

（三）监理工程师证书费。收费标准从每套35元，降低到每套10元。

三、许可证费（1项）

核材料许可证收费。对核研究单位收费标准从每个领证单位5000~10000元，降低到每个领证单位2500元。

四、资源费(1项)

无线寻呼系统频率占用费。收费标准从全国范围使用每频点300万元,全省范围使用每频点30万元,地方范围使用每频点6万元,降低到全国范围使用每频点200万元,全省范围使用每频点20万元,地方范围使用每频点4万元。

五、检验检疫费(6项)

(一)动植物运输工具检疫费。火车收费标准从每厢次20元降低到4元;汽车收费标准从每辆次10元降低到5元;集装箱收费标准从每箱次10元降低到4元。

(二)农业部门国内植物调运检疫费。调整为对国家专储粮调运部分不收费,商品粮调运检疫费标准由按货值的1.2‰降低到1‰。

(三)国境卫生检疫部门小批量进口食品检验费。收费标准从进口金额的6‰,降低到5‰。

(四)商检部门一般商品包装性能鉴定收费。麻袋包装性能鉴定收费标准从每件0.02元,降低到每件0.01元。

(五)商检部门进出口商品品质检验费。对进口化肥收费标准从商品总值的2.5‰,降低到2‰。

(六)交通部门船舶检验费。按《船舶检验计算规定》([1993]价费字119号)规定的各项收费标准降低10%。

六、其他(2项)

(一)条形码服务费。胶片研制费收费标准从60元,降低到48元,对进出口公司收取的系统维护费收费标准从每年3500元,降低到每年3100元。

(二)内河航道养护费。收费标准从按运费收入的8%收取,降低到6%。

本通知自1998年1月1日起执行,过去国家计委(包括原国家物价局)会同财政部及国务院其他有关部门制定的收费标准与本通知规定不符的,以本通知为准。

附录 3

国家计委收费管理司、财政部综合与改革司关于水利建设工程质量监督收费标准及有关问题的复函

（1996 年 1 月 8 日　计司收费函[1996]2 号）

水利部财务司：

你部《关于商请批准水利建设工程质量监督收费标准的函》收悉，经研究，现函复如下：

一、根据国务院有关抑制通货膨胀，控制物价过快上涨的精神，为了有利于保持价格总水平的基本稳定，保持不同行业建设工程质量监督收费的合理比价，对水利建设工程质量监督的收费标准暂不做调整。收费标准仍按原国家物价局、财政部[1993]价费字 149 号《关于发布建设工程质量监督费的通知》有关规定执行，即按建安工作量计费，大城市不超过 1.5‰，中等城市不超过 2‰，小城市不超过 2.5‰；已实施工程监理的建设项目，按不超过建安工作量的 0.5‰~1‰收取工程质量监督费。具体收费标准按水利建设工程所在地省级物价、财政部门的规定执行。

水利建设工程质量监督单位应按规定向物价部门申领收费许可证，使用财政部门统一印制的收费票据。

二、鉴于《规定》第六章中多处内容，如收费名称、征收办法和标准、规定收入上解以及收费资金的使用管理等都存在与现行国家有关规定不符的问题。为此，我们建议，对《规定》应做如下修改：

1.将《规定》第二十条、第二十七条至第三十条中的“质量监督管理费”改为“工程质量监督费”，以便与国家批准的收费项目名称相一致；

2.取消第二十八条；

3.将第三十条改为：“质量监督费应用于质量监督工作的正常经费开支，不得挪作他用。其使用范围主要为：工程质量监督检测开支以及必要的旅费开支等”。

附录 4

财政部、国家计委关于发布 2001 年全国性及中央部门和单位行政事业性收费项目目录的通知

（2002 年 4 月 22 日　财综[2002]25 号）

各省、自治区、直辖市财政厅(局)、计委、物价局,新疆生产建设兵团财务局,国务院各部(委)、各直属机构,各中央管理企业:

根据《国务院办公厅转发国务院纠正行业不正之风办公室关于 2001 年纠风工作实施意见的通知》(国办发[2001]23 号)的有关规定,我们在对全国性及中央部门和单位的行政事业性收费项目进行清理的基础上,编制了《2001 年全国性及中央部门和单位行政事业性收费项目目录》(见附件,以下简称《收费目录》)。现将有关事项通知如下:

一、《收费目录》中的行政事业性收费项目包括国家法律法规规定,经国务院或财政部和国家计委批准,截至 2001 年 12 月 31 日的全国性及中央部门和单位的行政事业性收费项目,其具体征收范围、征收标准及资金管理方式等,应分别按照《收费目录》中注明的国家法律法规、国务院或财政部和国家计委(含原国家物价局)的有关文件规定执行。其中,加▲的项目为涉及企业负担的行政事业性收费项目。

二、2001 年 12 月 31 日以前全国性及中央部门和单位行政事业性收费项目,一律以《收费目录》为准。凡未列入《收费目录》以及《收费目录》所列的文件依据中未规定的行政事业性收费项目,企事业单位和个人可以拒绝支付。自 2002 年 1 月 1 日起,全国性

及中央部门和单位行政事业性收费项目按照国家法律法规、国务院或财政部和国家计委的有关规定执行；各省、自治区、直辖市的行政事业性收费项目按照省、自治区、直辖市地方性法规规定，省、自治区、直辖市人民政府及其所属财政、计划（物价）部门规定执行。其中，专门面向企业的行政事业性收费项目和标准，按照省、自治区、直辖市人民政府征得财政部、国家计委同意后的有关规定执行。

三、各省、自治区、直辖市财政部门应当会同计划（物价）部门在本通知规定《收费目录》的基础上，编制本行政区域内截至2001年12月31日的行政事业性收费项目，包括国家法律法规规定，经国务院或财政部和国家计委批准，省、自治区、直辖市地方性法规规定，省、自治区、直辖市人民政府及其所属财政和计划（物价）部门批准的行政事业性收费项目目录。同时，应在目录中注明哪些行政事业性收费项目涉及企业负担，在全省（自治区、直辖市）范围内公布，并于2002年5月31日前报财政部、国家计委备案。

四、自2003年起，财政部将会同国家计委于每年4月30日前编制截至上年12月31日的全国性及中央部门和单位行政事业性收费项目目录，向社会公布。各省、自治区、直辖市财政部门应当会同计划（物价）部门，按照本通知规定及要求，于每年4月30日前编制本行政区域内截至上年12月31日的行政事业性收费项目目录，在全省（自治区、直辖市）范围内公布，并报财政部、国家计委备案（请用EXCEL汇总，报软盘或通过电子邮件传送）。今后，凡变更行政事业性收费项目，应分别由中央和省（自治区、直辖市）财政部门会同计划（物价）部门联合批准；调整行政事业性收费标准，应分别由中央和省（自治区、直辖市）计划（物价）部门会同财政部门联合批准。

五、为切实减轻社会负担，中央和省（自治区、直辖市）财政部门要会同计划（物价）部门对本级批准的行政事业性收费项目进行清理,取消不合法、不合理收费项目。同时,中央和省(自治区、直辖市)计划(物价)部门要会同财政部门降低过高的收费标准。

附件:2001 年全国性及中央部门和单位行政事业性收费项目目录(略)

附录5

水利部关于加强大中型开发建设项目水土保持监理工作的通知

（2003年3月5日　水保[2003]89号）

各流域机构，各省、自治区、直辖市水利（水务）厅（局），各计划单列市水利（水务）局，新疆生产建设兵团水利局：

为认真贯彻落实水土保持“三同时”制度，切实防治因开发建设活动造成的水土流失，根据国家环境保护总局等6部、局、公司《关于在重点建设项目中开展工程环境监理试点的通知》（环发[2002]141号）的文件精神，现就进一步加强开发建设项目的水土保持监理工作通知如下：

一、凡水利部批准的水土保持方案，在其实施过程中必须进行水土保持监理，其监理成果是开发建设项目水土保持设施验收的基础和验收报告必备的专项报告。地方各级水行政主管部门审批的水土保持方案，其项目的水土保持监理工作可参照本通知执行。

二、承担水土保持监理工作的单位及人员根据国家建设监理的有关规定和技术规范、批准的水土保持方案及工程设计文件，以及工程施工合同、监理合同，开展监理工作。从事水土保持监理工作的人员必须取得水土保持监理工程师证书或监理资格培训结业证书；建设项目的水土保持投资在3000万元以上（含主体工程中已列的水土保持投资）的，承担水土保持工程监理工作的单位还必须具有水土保持监理资质。

三、水土保持监理实行总监理工程师负责制，根据项目特点设立现场监理机构，配备各专业监理人员，对水土保持设施建设进行质量、进度和投资控制。监理单位在监理过程中,应对水土保持设施的单元工程、分部工程、单位工程提出质量评定意见,作为水土保持设施评估及验收的基础。

四、承担水土保持监理工作的单位,由建设单位通过招标方式确定,并向水土保持方案批准单位备案。承担水土保持监理工作的单位要定期将监理报告向建设单位和有关水行政主管部门报告。同时,其监理报告的质量将作为考核监理单位的依据。

附录 6

开发建设项目水土保持设施验收管理办法

（2002 年 10 月 22 日　中华人民共和国水利部 16 号令）

第一条　为加强开发建设项目水土保持设施的验收工作，根据“中华人民共和国水土保持法”及其实施条例，制定本办法。

第二条　本办法适用于编制水土保持方案报告书的开发建设项目水土保持设施的验收。

编制水土保持方案报告表的开发建设项目水土保持设施的验收，可以参照本办法执行。

第三条　开发建设项目所在地的县级以上地方人民政府水行政主管部门，应当定期对水土保持方案实施情况和水土保持设施运行情况进行监督检查。

第四条　开发建设项目水土保持设施经验收合格后，该项目方可正式投入生产或者使用。

第五条　县级以上人民政府水行政主管部门负责开发建设项目水土保持设施验收工作的组织实施和监督管理。

县级以上人民政府水行政主管部门按照开发建设项目水土保持方案的审批权限，负责项目的水土保持设施的验收工作。

县级以上地方人民政府水行政主管部门组织完成的水土保持设施验收材料，应当报上一级人民政府水行政主管部门备案。

第六条　水土保持设施验收的范围应当与批准的水土保持方案及批复文件一致。水土保持设施验收工作的主要内容为：检查水土保持设施是否符合设计要求、施工质量、投资使用和管理维护责任落实情况，评价防治水土流失效果，对存在问题提出处理意见等。

第七条 水土保持设施符合下列条件的，方可确定为验收合格：

（一）开发建设项目水土保持方案审批手续完备，水土保持工程设计、施工、监理、财务支出、水土流失监测报告等资料齐全；

（二）水土保持设施按批准的水土保持方案报告书和设计文件的要求建成，符合主体工程和水土保持的要求；

（三）治理程度、拦渣率、植放映复率、水土流失控制量等指标达到了批准的水土保持方案和批复文件的要求及国家和地方的有关技术标准；

（四）水土保持设施具备正常运行条件，且能持续、安全、有效运转，符合交付使用要求。水土保持设施的管理、维护措施落实。

第八条 在开发建设项目竣工验收阶段，建设单位应当会同水土保持方案编制单位，依据批复的水土保持方案报告书、设计文件的内容和工程量，对水土保持设施完成情况进行检查，编制水土保持方案实施工作总结报告和水土保持设施竣工验收技术报告（编制提纲见附件）。对于符合本办法第七条所列验收合格条件的，方可向审批该水土保持方案的机关提出水土保持设施验收申请。

第九条 县级以上人民政府水行政主管部门应当自收到验收申请之日起3个月内组织完成验收工作。

第十条 国务院水行政主管部门负责验收的开发建设项目，应当先进行技术评估。

省级水行政主管部门负责验收的开发建设项目，可以根据具体情况参照前款规定执行。

地、县级水行政主管部门负责验收的开发建设项目，可以直接进行竣工验收。

第十一条 技术评估,由具有水土保持生态建设咨询评估资质的机构承担。

承担技术评估的机构,应当组织水土保持、水工、植物、财务经济等方面的专家,依据批准的水土保持方案、批复文件和水土保持验收规程规范对水土保持设施进行评估,并提交评估报告。

第十二条 县级以上人民政府水行政主管部门在收到验收申请后,应当组织有关单位的代表和专家成立验收组,依据验收申请、有关成果和资料,检查建设现场,提出验收意见。其中,对依照本办法第十条规定,需要先进行技术评估的开发建设项目,建设单位在提交验收申请时,应当同时附上技术评估报告。

建设单位、水土保持方案编制单位、设计单位、施工单位、监理单位、监测报告编制单位应当参加现场验收。

第十三条 验收合格意见必须经三分之二以上验收组成员同意,由验收组成员及被验收单位的代表在验收成果文件上签字。

第十四条 对验收合格的项目,水行政主管部门应当及时办理验收合格手续,出具水土保持设施验收合格证书,作为开发建设项目竣工验收的重要依据之一。

对验收不合格的项目,负责验收的水行政主管部门应当责令建设单位限期整改,直至验收合格。

第十五条 分期建设、分期投入生产或者使用的开发建设项目,其相应的水土保持设施应当按照本办法进行分期验收。

第十六条 水土保持设施验收合格并交付使用后,建设单位或经营管理单位应当加强对水土保持设施的管理和维护,确保水土保持设施安全、有效运行。

第十七条 违反本办法,水土保持设施未建成、未经验收或者验收不合格,主体工程已投入运行的,由审批该建设项目水土保持方案的水行政主管部门责令限期完建有关工程并办理验收手续,逾期未办理的,可以处以1万元以下的罚款。

第十八条 开发建设项目水土保持设施验收的有关费用，由项目建设单位承担。

第十九条 本办法由水利部负责解释。

第二十条 本办法自2002年12月1日起施行。

附录 7

水利部关于印发《水土保持生态建设工程监理管理暂行办法》的通知

（2003 年 3 月 3 日　水建管[2003]79 号）

各流域机构，各省、自治区、直辖市水利（水务）厅（局），新疆生产建设兵团水利局，各有关单位：

根据《水利工程建设监理规定》等规章，结合水土保持工程特点，我部制定了《水土保持生态建设工程监理管理暂行办法》。现印发给你们，请遵照执行，并提出如下要求：

一、国家水土保持重点工程按基建程序管理，全面推行项目法人制或项目责任主体负责制、工程建设监理制，因地制宜推行招标投标制。今后，所有国家水土保持重点工程、利用世界银行等外资水土保持项目，都应全面实行工程建设监理制。

二、各级水行政主管部门要高度重视水土保持工程监理工作，把监理工作作为提高水土保持工程建设质量，管好用好建设投资的重要环节抓紧抓好。要充分认识水土保持监理工作的重要性，切实改变传统的工程建设管理方式，发挥监理的作用，不断提高工程建设管理水平，推进水土保持生态建设工作。

三、各级水行政主管部门要切实加强对水土保持工程监理工作的管理，确保水土保持监理工作规范、有序地开展。要由项目法人或项目责任主体负责，择优选定有水土保持工程监理资格的单位，对工程建设实施监理。要保证监理单位公正、独立、自主地开展工作。

各单位在执行过程中如有问题和建议，请及时反馈水利部。

附件:《水土保持生态建设工程监理管理暂行办法》

水土保持生态建设工程监理管理暂行办法

第一章　总　则

第一条　为了加强水土保持生态建设工程(简称“水土保持工程”)监理工作,规范监理行为,提高建设管理水平,充分发挥投资效益,根据《水利工程建设监理规定》等规章,结合水土保持工程特点,制定本办法。

第二条　水利部主管全国水土保持工程监理工作,水利部水土保持监测中心在水利部建设与管理司、水土保持司的指导下承担具体管理工作。

第三条　水土保持工程按国家基本建设程序管理,实行项目法人责任制或项目责任主体负责制,在项目批准立项时予以明确。

第四条　水土保持工程施工监理,必须由水利部批准的具有水土保持生态建设工程监理资质的单位承担。

第五条　水土保持工程监理是指监理单位受项目法人或项目责任主体委托,依据国家有关法律法规的规定,批准的设计文件及工程施工合同、工程监理合同,对工程施工实行的监督管理。

第六条　在确定承建单位前,项目法人或项目责任主体应根据有关规定择优选定监理单位。

第七条　实施水土保持工程监理前,项目法人或项目责任主体应与监理单位签订书面监理合同,合同中应包括监理单位对水土保持工程质量、投资、进度进行全面控制的条款。

监理单位应依据合同,公正、独立、自主地开展监理工作,维护项目法人或项目责任主体和承建单位的合法权益。

第八条 水土保持工程施工监理实行总监理工程师负责制。

第九条 水土保持工程监理取费标准参照国家有关规定执行,监理单位不得采取压低监理费用等不正当竞争手段承揽监理业务。

第十条 水土保持工程监理除应符合本办法外,还应符合国家现行的有关技术标准和规范的规定。

第二章 项目监理机构及设施

第十一条 监理单位须向工程现场派驻项目监理机构,具体负责监理合同的实施。

项目监理机构的设置、组织形式和人员组成,应根据监理工作的内容、服务期限及工程类别、规模、技术复杂程度、工程环境等因素确定。监理人员组成应满足水土保持工程各专业工作的需要。

第十二条 监理单位应于监理合同签订后十天内,将项目监理机构的组织形式、人员组成及任命的总监理工程师,书面通知项目法人或项目责任主体。

第十三条 项目法人或项目责任主体应根据监理合同约定,提供满足监理工作需要的办公、交通、通讯和生活设施;项目监理机构应妥善使用和保管,在完成监理工作后移交项目法人或项目责任主体。

第三章 监理人员

第十四条 水土保持工程监理人员包括总监理工程师、监理工程师和监理员,必要时可聘用信息员。

第十五条 水土保持工程监理人员须经过培训、考试,取得相应水土保持工程监理岗位证书后,方可从事水土保持工程监理工作。

第十六条 总监理工程师应由具有三年以上水土保持工程监

理工作经验的监理工作师担任，由监理单位征得项目法人或项目责任主体同意后任命。总监理工程师需要调整时，监理单位应征得项目法人或项目责任主体同意并书面通知承建单位。

总监理工程师是履行监理合同的总负责人，行使合同赋予监理单位的全部职责，全面负责项目监理工作。

一名总监理工程师宜担任一个项目的总监理工程师工作，需要同时担任多个项目的总监理工程师工作时，应经项目法人或项目责任主体同意。

第十七条 总监理工程师根据监理工程的实际需要，可指定监理工作师担任总监理工程师代表，总监理工程师代表应具有2年以上水土保持工程监理工作经验。总监理工程师代表按总监理工程师的授权，行使总监理工程师的部分职责和权力。

第十八条 监理工程师应由具有一年以上水土保持工程监理经验并具备监理工程师资格的人员担任。监理工程师需要调整时，总监理工程师应书面通知项目法人或项目责任主体和承建单位。

第十九条 监理员应由取得《水土保持生态建设工程监理员岗位评书》或《水土保持生态建设工程监理工程师培训结业证书》的人员担任，在监理工程师的指导下开展现场监理工作。

第二十条 信息员由经过项目监理机构组织的业务培训的人员担任，协助监理人员工作。

第二十一条 总监理工程师、监理工程师、监理员的具体职责按《水利工程建设施工监理规范》的规定执行。

第四章 监理实施

第二十二条 监理机构实施监理一般应按下列程序进行：

（一）编制工程监理规划。

（二）依据工程建设进度，按单项措施编制工程监理实施细则。

（三）按照监理实施细则实施监理，按规定向项目法人或项目责任主体提交监理月报和专题报告。

（四）建设监理业务完成后，向项目法人或项目责任主体提交工程监理工作报告，移交档案资料。

第二十三条 开工前，总监理工程师应组织监理人员熟悉有关规章、合同文件、设计文件和技术标准。

第二十四条 监理工程师应审查承建单位报送的项目开工报审表及相关资料，具备下列条件时，征得项目法人或项目责任主体同意，由总监理工程师签发开工令。

（一）承建单位管理机构和规章制度健全，管理人员到位。

（二）第一批施工项目的设计文件已经监理工程师核查。

（三）施工组织计划经监理工程师签认。

（四）年度投资计划已落实。

（五）所需人工、材料、设备已落实。

（六）其他必备的开工条件已具备。

第二十五条 监理工程师应对施工放线和图班界线进行复验和确认。

第二十六条 监理工程师应对承建单位报送的拟进场的工程材料、籽种、苗木报审表及质量证明资料进行审核，并对进场的实物按照有关规范采用平行检验或见证取样方式进行抽检。

对未经监理工程师验收或验收不合格的工程材料、籽种、苗木等，监理工程师不予签认，并通知承建单位不得将其运进场。

第二十七条 监理人员对治沟骨干工程、淤地坝和坡面水系等工程的隐蔽工程、关键工序应进行旁站监理；对造林、种草、坡改梯、小型的沟道治理和蓄水工程、封禁治理工程等可进行巡视检查。

第二十八条 对不合格的部位或工序，监理工程师不予签认，并提出处理意见,承建单位整改后,经监理工程师检验合格,方可进行下一道工序的施工。

第二十九条 监理人员发现施工中存在重大隐患,可能造成质量事故或已经造成质量事故时,总监理工程师应下达工程暂停指令,要求承建单位停工整改。整改完成并符合质量标准要求,总监理工程师方可签署复工通知。

对需要返工处理或加固补强的质量事故,总监理工程师应责令承建单位报送质量事故调查报告和经设计等相关单位认可的处理方案,监理工程师应对质量事故的处理过程和处理结果进行跟踪检查和验收。

第三十条 监理工程师应按有关规定对中央投资、地方配套、群众自筹资金到位和实际投劳情况核实统计,并向项目法人或项目责任主体报告。

第三十一条 监理工程师应按下列程序进行工程计量和工程款支付工作:

(一)承建单位统计经监理工程师验收合格的工程量,填报工程量清单和工程款支付申请表。

(二)监理工程师审核工程量清单和工程款支付申请表,并报总监理工程师审定。对未经监理工程师质量验收合格、不符合施工合同规定的工程量,不予计量。

(三)总监理工程师审查并签署工程款支付证书,报项目法人或项目责任主体。

第三十二条 监理工程师应按下列程序进行竣工结算:

(一)承建单位按施工合同填报竣工结算报表。

(二)监理工程师审核承建单位报送的竣工结算报表。

(三)总监理工程师审定竣工结算报表,签发竣工结算文件和最终的工程款支付证书,并报项目法人或项目责任主体。

第三十三条 监理工程师应按下列程序进行进度控制:

（一）总监理工程师审批承建单位编制的年、季（月）施工进度计划。

（二）监理工程师对进度计划实施情况进行指导、检查。

（三）当实际进度滞后于计划进度时，监理工程师应分析原因，提出相应的措施，责成有关方面改进或调整计划。

（四）督促承建单位按调整计划进行施工。

第三十四条 对原设计有重大变更的，应由监理工程师签署意见，报原批准机关同意；对不影响投资规模、建设地点和工程功能的工程变更，须经项目法人或项目责任主体和监理工程师同意，并报原批准机关备案。

第三十五条 监理工程师应对工程的质量等级提出意见，监理工作报告是水土保持工程验收的主要材料之一。

监理工程师应参加工程的竣工验收。

第三十六条 在合同实施过程中，监理机构与项目法人或项目责任主体和承建单位的联系均应以书面函件为准。

第三十七条 水土保持工程施工中的工程变更、费用索赔、信息管理等监理工作，按《水利工程建设施工监理规范》的规定执行。

第五章 附 则

第三十八条 各流域机构和各省、自治区、直辖市水利（水务）厅（局）可根据本办法制定相应的实施细则。

第三十九条 本办法由水利部负责解释。

第四十条 本办法自颁布后30日起施行。